Badésirédudou

Castor Poche
Collection animée par
François Faucher, Hélène Wadowski,
Martine Lang, Cécile Fourquier et Céline Vial

à PAUL
à ARTHUR
mes petits-fils.

Une production de l'Atelier du Père Castor

MARIE-CLAUDE BÉROT

BADÉSIRÉDUDOU

Castor Poche Flammarion

Elle va arriver !

Dans trois jours elle sera dans ma maison. Et je devrai lui céder ma chambre !

Désirée elle s'appelle ! Un drôle de nom ! Ce sont les religieuses de l'orphelinat d'Afrique qui le lui ont donné. Il paraît que c'est un nom d'amour qui lui portera chance.

Papa et maman ont beaucoup hésité, et puis, finalement, ils ont trouvé que ce nom-là était tout de même un peu bizarre, alors ils ont décidé que nous l'appellerions : Mathilde.

Moi, je préfère son nom marrant.

Désirée c'est ma sœur, mais je ne l'ai jamais vue. Ce n'est pas une petite sœur minuscule et douce comme une peluche que l'on va voir couchée à côté de sa maman dans une clinique. Non, pas du tout, Désirée est une fille de six ans !

Pendant que nos parents sont allés la chercher dans son lointain pays d'Afrique, Simon et moi avons passé presque tout le mois d'août dans un camp de vacances à la montagne. Simon, c'est mon grand frère. Il adore la montagne, lui ! Moi, j'aime pas trop. J'aurais préféré aller chez mon papi et ma mamie qui me laissent faire des tas de choses interdites sans jamais râler trop fort. Mais papa a décidé que c'était mieux pour nous deux d'être ensemble pendant cette période si importante de notre vie. Et en plus, il a affirmé que la montagne nous ferait beaucoup de bien.

***

Depuis que maman et papa sont partis, je fais chaque nuit des rêves terribles. Celui d'hier soir était le plus terrible de tous, plein de flammes et de cris. Ce rêve je l'ai commencé à demi réveillé et je l'ai fini à moitié endormi. Je m'en souviens si bien que je peux le raconter tout entier sans rien oublier : un avion d'Air Afrique survolait notre camp de vacances. Je le voyais descendre, descendre et je me disais qu'il ne pourrait jamais reprendre assez d'altitude sans accrocher le sommet de la montagne.

Bien sûr, il a buté dessus. Et il a commencé à prendre feu.

J'étais le seul à avoir vu l'accident. J'ai couru, escaladé la falaise, marché dans la neige, sauté au-dessus des flammes. Et je suis arrivé juste à temps pour retirer maman et papa de la carlingue en feu. Deux secondes après, l'avion explosait.

Je n'ai pas pu sauver Désirée !

Je crois que je n'ai pas eu le temps, ou bien plutôt je ne l'ai pas trouvée. C'est difficile de trouver quelqu'un que l'on n'a jamais vu, c'est difficile même en rêve.

***

Toute la journée, cette espèce de cauchemar a tourné dans ma tête. À la fin j'en avais tellement assez que je l'ai raconté à Simon.

— T'es barjo ou quoi d'inventer des trucs pareils ? il a dit en rogne.

Je voyais bien que je lui avais flanqué la trouille à mon frangin.

Le soir, maman a téléphoné depuis l'Afrique. Ça faisait une drôle d'impression de l'entendre de si loin.

Simon a parlé le premier. C'est l'aîné, c'est normal. Mais j'entendais tout ce qu'elle disait.

Maman n'arrêtait pas de répéter que notre nouvelle petite sœur, Mathilde, était adorable. Bien plus encore que ce que nous avions imaginé!

Moi, je n'avais rien imaginé du tout.

Simon lui coupait la parole pour poser des questions que je trouvais débiles: Comment elle est Mathilde? Est-ce qu'elle sait parler? Est-ce qu'elle sait marcher? Manger? Caresser les chats? Se servir des jouets que nous lui avons envoyés?

Et patati et patata! Ça a duré des heures.

Quand mon tour est venu de parler à maman j'ai pas hésité, j'ai demandé:

— Elle est de quelle couleur, Désirée?

Il y a eu un petit silence comme lorsque maman avale sa salive pour ne pas trop crier après moi. J'ai même cru que la communication avait été coupée, c'est si loin l'Afrique! Mais non:

— Voyons, Petit Louis, tu sais bien que ta sœur est née en Afrique! Tu as vu des tas de photos, et c'est ensemble, tous les quatre, que nous avons choisi son prénom. Tu te souviens bien tout de même?

— Ouais!

— Tu as même dit que « Mathilde » tu aimais beaucoup à cause de la petite Mathilde qui était dans ta classe, tu te souviens?

— Ouais!

— Et toi tu vas bien mon poussin? Tu ne t'ennuies pas trop? Dans trois jours nous serons ensemble, tu sais! Il me tarde tant de vous revoir tous les deux!

Je n'ai pas répondu tout de suite pour faire durer le temps. J'avais tellement envie d'entendre encore la voix de ma maman. C'était si long tous ces jours sans elle et sans papa.

— Ça va! j'ai dit, et je n'ai rien trouvé d'autre à raconter. J'étais comme intimidé.

Maman nous a fait un gros bisou et puis elle a raccroché. L'Afrique c'est trop loin pour parler longtemps au téléphone, surtout après Simon qui est tellement bavard.

Le lendemain, qui était notre avant-dernier jour, nous avons reçu plusieurs lettres à la fois. Et dans chacune il y avait une photo. Moi, j'aurais préféré des images d'animaux d'Afrique. Il y en a de si beaux ! J'aurais préféré, parce que d'entendre sans cesse parler de Mathilde commençait à ma fatiguer.

Pourtant, elle est rigolote, Désirée. Si ce n'était pas ma nouvelle sœur elle me plairait bien. Son visage a une jolie couleur de chocolat au lait, ou plutôt de Carambar. Ses yeux sont noirs comme des crottes de mouton et ses cils si longs qu'ils dépassent les sourcils. Les cheveux c'est pire : un sac de nœuds avec des rubans de toutes les couleurs. On dirait qu'elle trimballe une volière de papillons sur la tête.

Derrière chaque photo, maman a écrit de sa plus belle écriture : Mathilde six ans, cinq mois, huit jours. Mathilde six ans, cinq mois, douze jours, et ainsi de suite.

J'ai mis la journée entière pour compter que j'avais huit ans, huit mois, et trois semaines et demie !

Pour Simon, c'est facile, il a eu onze ans hier. Grâce à lui on a fait la fête avec les monos. Bien sûr il a eu droit à des tas de cartes postales et surtout à la promesse d'un cadeau très beau. Moi j'ai pensé que ce serait son casque de V.T.T. qu'il réclame depuis des siècles.

***

Le camp de vacances sera donc terminé demain.

Nos parents ont bien calculé pour que nous soyons tous à la maison le même jour. Et ce n'était pas facile ! Ils arriveront le matin et nous l'après-midi. Cela plaisait beaucoup à maman de pouvoir venir nous chercher au car. Elle disait que c'était mieux que les choses se fassent de cette manière.

Ainsi, elle nous préparerait une maison toute belle pour notre retour.

Revoir papa et maman, retrouver la maison, de tout cela j'avais rêvé. Mais je n'avais pas oublié que je devrais partager la chambre de Simon pour laisser toute ma place à Désirée. Et je n'avais pas du tout envie d'une moitié de chambre !

Cette adoption dont papa et maman parlaient depuis si longtemps et qui n'arrivait jamais, j'avais fini par ne plus y croire. Et maintenant elle allait être là brusquement la petite fille promise...

C'est vrai que j'aimais bien le prénom de Mathilde, à cause de Mathilde Labarthe qui me plaisait drôlement au début de l'année. Mais, à la fin de l'année, je préférais Elsa, alors !

***

Plus le moment du départ approche, plus tout devient laid autour de moi. La montagne se cache derrière les nuages. Toute la journée il fait gris-noir. En plus, les moniteurs se plaignent de mon mauvais caractère. Ils disent :

— On dirait vraiment pas que tu es le frère de Simon !

Ça va leur faire un sale coup quand ils verront sa sœur, parce qu'elle, ça m'étonnerait qu'elle lui ressemble, à Simon !

Le lendemain, il a fallu reprendre le car. J'aime pas le car, ça me fait mal au ventre. Mais j'aurais bien aimé pourtant que le voyage soit plus long cette fois. J'avais peur et je ne savais pas de quoi.

Simon est venu s'asseoir à côté de moi. Il aime bien parler Simon. Même si je ne le regarde pas, même si je fais comme si je ne l'entendais pas, il parle quand même.

Je collais mon nez à la vitre pour regarder les vaches, et puis les moutons, et encore les vaches... Quand il n'y a plus eu de moutons et à peine quelques vaches, j'ai compris que nous étions arrivés dans la vallée.

Après, il y a eu les fumées d'usines et on a dû se boucher le nez, parce que les usines de pâte à papier ça pue très fort. C'était comme pour nous montrer que le bon air de la montagne était fini pour nous.

Toute cette mauvaise odeur ne nous a pas empêchés de chanter et de rire aussi.

Simon, lui, a continué à parler tout seul :

— Ce qu'il me tarde de la voir !

Cent mètres plus loin :

— Je lui apprendrai à faire du vélo sans les petites roues.

« Et elle se cassera la figure ! » j'avais envie de lui répondre.

Du sang sur du Carambar au chocolat, ça doit pas tellement se remarquer. Elle pourrait perdre tout son sang sans que personne ne s'en aperçoive.

***

Je ne sais pas ce qui m'arrive, chaque fois que je pense à elle, ma nouvelle sœur, c'est comme si un lucane serrait mon cœur dans ses pinces. Un lucane, il faut en avoir vu un pour comprendre la peur qu'il peut faire. C'est une horrible bête au moins cinq fois plus grosse qu'un grillon, avec deux énormes pinces à l'avant. Il y en a plein, le soir, à la montagne, qui volent juste à la hauteur des cheveux, en rase-mottes.

Je suis triste d'être malheureux de revoir mes parents. Je voudrais en avoir très envie comme chaque fois que je les retrouve. Cette fois, quelque chose m'en empêche. Par moment je me sens bizarre. J'ai comme la frousse de rentrer chez moi. Si j'en avais le courage je sauterais du car, je repartirais me perdre dans la montagne pleine de lucanes.

— Tu crois, Louis, que Mathilde va nous reconnaître tout de suite?

J'ai franchement regardé derrière moi comme celui qui n'a rien entendu, mais ça ne l'a pas empêché de continuer.

— Bien sûr, papa et maman lui auront montré nos photos. Mais tout de même elle pourrait nous confondre!

— Te bile pas, y a pas de risque! j'ai grogné entre mes dents.

Celui-là il commençait à me casser les pieds avec sa sœur.

Du coup, je me suis bâti tout un plan pour qu'elle ne traîne pas trop dans mes pattes.

Le car a fait le tour de la place avant de s'arrêter en klaxonnant devant la mairie comme s'il ramenait les champions de la coupe du monde de foot.

Je l'ai vue tout de suite.

Je n'ai pas été le seul à la voir. Tous ceux qui étaient dans le car ont pu la voir comme moi. Elle se voyait de loin !

Agrippée au cou de maman qui la tenait serrée fort dans ses bras, j'ai d'abord découvert sa tignasse toute noire emmêlée aux beaux cheveux dorés de ma mère. Et ça m'a donné envie de pleurer.

Je voyais bien le regard de maman qui parcourait tout le car pour nous repérer, mais je ne pouvais pas faire un seul geste pour qu'elle me voie.

Je les regardais toutes les deux collées l'une à l'autre, et de voir ma maman emprisonnée dans les bras de cette petite fille inconnue me tordait le ventre pire que le car.

Alors, j'ai essayé de penser que ça ne durerait que quelques jours, peut-être même quelques heures. Les gens de l'adoption allaient venir la rechercher. Ou sa vraie maman n'aurait pas tout à fait disparu et la réclamerait. Alors il faudrait la ramener en Afrique. Et puis, elle s'ennuierait trop ici où il n'y avait ni tigres ni lions. Enfin toutes les idées que l'on a quand on est tellement malheureux.

Je suis descendu le dernier, exprès. Simon la tenait déjà dans ses bras comme si elle ne savait même pas se tenir sur ses jambes. À six ans, cinq mois et vingt-trois jours !

À eux deux ils me cachaient maman tout entière. Alors j'ai cru qu'elle m'avait oublié et j'ai eu aussi mal que si j'étais tombé dans des orties, ou dans les flammes, ou dans le torrent glacé de la montagne. Maman ne m'avait pas oublié : malgré la foule, ses yeux m'avaient retrouvé. Je la voyais, là-bas, se hausser sur ses pieds pour me sourire par-dessus leurs têtes. Mais moi je ne pouvais toujours pas courir vers elle.

***

Enfin, au bout d'un temps qui m'a paru très long, ils sont venus jusqu'au trottoir où j'étais planté, mon sac calé entre mes jambes pour que l'on ne vienne pas me le voler. Je reniflais, et je n'avais pas de mouchoir. Je reniflais, mais je ne pleurais pas. C'était seulement à cause du rhume que j'avais attrapé dans cette montagne pourrie.

— Mathilde, a dit maman, voici Louis !

Je n'étais déjà plus le Petit Louis de ma maman.

Papa l'a poussée doucement vers moi pour que je l'embrasse. Je me suis penché vers son oreille qui était exactement comme un coquillage. Un vraiment joli coquillage, et qui en plus sentait la mandarine ! Moi, les mandarines, j'adore ! Dans le coquillage j'ai murmuré :

— Salut « Pas Désirée Du Tout » !

Mais mon nez complètement bouché m'empêchait de bien parler, et ça faisait :

— Salut Badésirédudou !

Elle a souri alors de toutes ses dents plus blanches que la plus blanche des neiges. Papa et maman ont été soufflés parce que c'était son vrai premier sourire.

Simon l'a prise par la main. J'ai attendu un peu qu'ils s'éloignent de quelques mètres, et puis j'ai cramponné mon sac à deux mains pour qu'il ne lui prenne pas l'idée de venir se pendre à moi.

On est montés tous les trois à l'arrière de la voiture. La nouvelle vie commençait. On était serrés comme des sardines dans leur boîte.

Je n'étais pas pressé d'arriver à la maison. Voir la nouvelle organisation de nos chambres que maman ne cessait de nous décrire ne me faisait pas rire.

Tournée vers nous, elle essayait de nous expliquer qu'ils avaient dû faire très vite pour aménager une chambre pour Mathilde. Alors que le voyage était prévu pour la fin de l'année, un coup de téléphone venu d'Afrique avait tout précipité.

Je n'écoutais pas trop, je ne pensais qu'à ma chambre. J'avais toujours dit que je la laisserais à une petite sœur ou un petit frère, mais maintenant je ne voulais plus. J'avais quand même le droit de changer d'idée !

Dès que maman a arrêté ses descriptions, j'ai dit tout doucement :

— Elle pourrait peut-être dormir dans la chambre de Simon, non ?

— Oh oui ! a crié Simon qui est toujours plus gentil que tout le monde.

Mais ce n'était pas possible à cause d'un tas de raisons, plus mauvaises les unes que les autres.

— Mathilde fait des cauchemars. Il vaut mieux qu'elle soit plus près de notre chambre. Et puis, vous verrez, nous avons fait une vraie chambre de fille.

Ils avaient dû bousiller mes posters de foot et de judo. Peut-être même le dessin qu'avait fait ma meilleure copine Elsa, pour moi tout seul ! Mais ça n'allait pas se passer comme ils croyaient ! Je serrais déjà les poings et aussi les dents, et je n'avais plus du tout envie de pleurer.

***

C'était pire que tout ce que j'avais vu dans le plus atroce cauchemar.

On aurait pu croire que ma chambre n'avait jamais existé. Même la couleur avait été changée, peinturlurée en rosé et remplie de poupées bariolées. Un vrai stand de fête foraine ! J'aurais voulu avoir une carabine à plomb pour les zigouiller de la plus petite à la plus grande.

La colère faisait trembler mes jambes. Et je me retenais de toutes mes forces pour ne pas tout défoncer, à coups de tête et à coups de pieds.

Simon est entré dans sa chambre. Et lui qui est si bavard n'a rien dit.

Le chamboulement dont mes parents étaient tellement fiers ne devait pas le ravir non plus.

Je suis allé m'asseoir dans le salon et j'y suis resté un long moment à côté de mon sac.

Malheureusement, j'avais une faim énorme. Je n'ai pas trop tardé à rappliquer dans la cuisine.

Tout ce que nous avons mangé ce soir-là avait un goût étrange. Il allait falloir s'habituer à la cuisine africaine pour ne pas trop perturber Badésirédudou.

C'était quand même meilleur qu'à la colo.

***

Après le repas, est venu le moment des cadeaux de bienvenue. Bien sûr elle avait eu là-bas, en Afrique, tous ceux que nous avions préparés ensemble depuis longtemps. Mais il en fallait encore. Et ceux que nous allions lui donner, nous les avions choisis en secret.

Tout l'argent de Simon était passé dans l'achat d'un poupon. Une monitrice du camp de vacances avait réussi à lui trouver dans la ville voisine un affreux baigneur noir.

Pas de chance pour lui : maman avait eu la même idée !

Moi, au moins, j'étais sûr que mon cadeau serait unique.

Dans une grosse boîte d'allumettes j'avais enfermé un lucane trouvé mort dans un chemin.

J'ai tendu la boîte d'allumettes à Désirée. Tout le monde s'est approché intrigué. Et, comme elle n'était pas maladroite du tout, elle l'a ouverte sans aide.

Elle a pris le lucane dans sa main et, avant que maman ait eu le temps de pousser un cri d'horreur, elle l'a croqué !

Tout le monde a été stupéfait, sauf Simon

qui a éclaté de rire. Mais maman m'a jeté un regard si étonné que j'ai regretté tout de suite cette farce idiote.

Heureusement que la distribution des cadeaux avait eu lieu après le repas, parce que papa a décidé brusquement que la journée avait été assez mouvementée et que nous devions tous aller nous coucher. Je connaissais bien son froncement de sourcils qui voulait dire qu'il n'était pas très content de mon idée.

Dans la chambre de Simon, au-dessus de mon lit, ils avaient encadré le joli dessin d'Elsa qui m'a paru encore plus beau. Et il ne manquait pas un seul de mes posters de judo.

Je me suis endormi tout de suite.

Si ça continue, il faudra que je trouve une astuce pour rester éveillé toute la nuit.

Ces rêves, ce n'est plus possible.

Celui-là n'était pourtant pas un vrai cauchemar ! Plutôt agréable même.

Je naviguais à bord d'une pirogue sur un immense fleuve en pleine forêt vierge.

Et, dans cette pirogue, sur ce grand fleuve perdu au milieu de la brousse, il n'y avait que Désirée et moi.

À un moment, sans aucune raison, notre bateau s'est mis à tanguer. D'abord doucement, puis de plus en plus fort.

Et Désirée est passée par-dessus bord !

J'ai plongé pour la sauver, ça c'est sûr. Mais l'eau était si chaude, si douce, si bonne, que je me suis étalé de tout mon long, en faisant la planche.

Au-dessus de moi, le ciel tout bleu était

zébré de grands oiseaux rouge et vert qui sifflaient doucement en faisant bien attention à ne pas couvrir le murmure du vent. De tout petits poissons dorés me caressaient les orteils.

Je crois que je n'avais jamais fait un aussi joli rêve !

Seulement voilà, le lendemain matin, quand je me suis réveillé, mon lit était tout glacé... et tout mouillé ! Pour la première fois de ma vie, depuis que je ne portais plus de couches, j'avais fait pipi au lit.

Qu'allait dire maman ? Qu'est-ce qu'ils allaient me faire ?

***

Maman est entrée dans la chambre pour nous réveiller comme elle le fait tous les jours juste avant que je trouve une astuce pour camoufler cette énorme bêtise.

Elle l'a vue tout de suite, ou elle l'a sentie, je ne sais pas, mais elle n'a pas crié du tout, elle a seulement dit :

— Ne t'en fais pas, Petit Louis, ça peut arriver à tout le monde.

D'un coup de main rapide, elle a enlevé le drap mouillé et en a mis un propre.

Simon, lui, ne s'est rendu compte de rien.

Ma maman, parfois, elle est plus que gentille, comme si elle comprenait tout, comme si rien ne pouvait l'étonner. Ce qui est embêtant avec elle c'est que l'on ne peut jamais savoir comment elle va réagir. Je me suis rendu compte en allant chez mes copains que leurs mères ne ressemblaient pas du tout à la mienne. Et moi, c'est peut-être bête, mais je trouve que la mienne est la mieux.

La maternelle est juste à côté de mon école. C'est pratique pour maman. Elle me dépose d'abord, et puis elle accompagne son trésor au chocolat jusque dans la cour des petits.

Maintenant, tout le monde sait que j'ai une sœur. Il y en a même qui trouvent que j'ai de la chance. Ils disent qu'elle est mignonne et très amusante.

Moi, je la trouve surtout collante.

En plus, elle m'aime beaucoup! Elle doit être un peu givrée! Ou alors c'est le contraire: le soleil d'Afrique lui a tapé sur la tête.

Ce qui est sûr c'est qu'elle me préfère aux autres. Ça fait enrager Simon qui ne sait plus qu'inventer pour lui faire plaisir.

***

Il faut lui parler correctement pour qu'elle apprenne très bien le français. Les dames de l'orphelinat le lui ont appris mais ce n'est pas tout à fait le même français que le nôtre.

Quand elle saura très bien, elle quittera la maternelle pour le C.P.

Sur les R elle ne se débrouille pas encore. Alors je lui fais répéter pendant des heures les mots les plus compliqués que je peux trouver.

Elle n'arrive pas encore à dire correctement : arquebusier ni rhododendron !

Maman hausse les épaules, dit que j'exagère de chercher les mots les plus tordus du dictionnaire. Mais je réponds sans me laisser impressionner que c'est pour son bien.

***

Je ne l'appelle jamais Mathilde. Personne ne s'en aperçoit, je me débrouille bien. Quand on est seuls, ou seulement un peu à l'écart, je dis :

— Badésirédudou, porte-moi mon livre !

Elle me fait un grand sourire, elle aime beaucoup le nom que je lui ai trouvé. Je suis sûr qu'elle le préfère à celui qu'ils lui ont choisi.

Elle court chercher mon livre, elle me le tend sans que je me donne la peine de me soulever pour le prendre. Et elle zozote :

— Tiens, Ti Li, ton beau live !

Elle trouve beau tout ce qui est à moi.

Plus elle m'aime, plus je la déteste.

Parfois, quand toutes les portes sont fermées, j'articule bien :

— Pas Désirée du tout, file dans ta chambre !

Il y a presque trois mois qu'elle est avec nous. J'ai tellement envie qu'elle reparte en Afrique, qu'elle disparaisse pour toujours que ça me donne des idées terribles.

Après, je suis malade pendant au moins deux jours. Et maman est obligée de m'emmener chez le docteur. Un soir j'ai même failli être opéré de l'appendicite ! Ce jour-là, j'avais imaginé que je pourrais pousser Désirée sous une voiture. J'ai vomi pendant des heures, j'ai eu de la fièvre et aussi très mal au ventre.

J'ai pensé que, comme frère, j'étais un monstre.

Quand j'ouvre les yeux, c'est souvent elle que je vois. Elle est toujours prête à partir à l'école avant tout le monde. Comme si l'école, il n'y avait rien de mieux.

Elle me secoue :

— Ti Li ! Ti Li ! elle crie.

J'ai envie de lui donner des claques, mais je me retiens. Et, à force de me retenir, la colère monte dans ma tête.

Je ne suis pas un garçon courageux. Parce que si j'étais courageux je dirais à mes parents : « Il faut choisir entre elle et moi ! » Mais j'ai bien trop peur qu'ils choisissent de travers. Je me tais, mais dans ma tête je n'arrête pas de lui faire du mal.

Sans arrêt je me pose cette question : « Pourquoi on a adopté Mathilde ? » Je sais bien que maman ne pouvait plus avoir un autre bébé et qu'elle en rêvait. Je sais aussi qu'il y a dans le monde entier des milliers, des millions même d'enfants sans parents. Je sais toutes ces choses que maman m'a expliquées. Mais ça ne change rien. Au contraire, ça me rend terriblement malheureux.

Mais mon malheur personne ne peut s'en rendre compte puisque je fais tous mes sales coups en douce. Il faut dire aussi qu'ils sont très occupés par les prouesses de leur petite chérie.

Je ne peux pas raconter ces mauvaises choses qui rôdent dans ma tête. Si j'osais, si j'avais le culot d'expliquer ce que je combine pour renvoyer leur Mathilde dans le pays de Désirée, il se pourrait bien que l'on m'enferme alors dans un hôpital de fous. Et même, au pire, dans une prison d'enfants criminels.

***

Je suis devenu une ombre, presque un fantôme. Ils ne voient que les exploits de Désirée.

Heureusement, je suis un as en judo ! Si

je continue comme ça je vais être ceinture bleue vite fait.

Mon prof n'en revient pas, il répète sans arrêt :

— C'est bien, Louis, tu fais de sacrés progrès !

Mon prof de judo, il ne connaît pas Désirée, c'est sans doute pour ça qu'il me trouve super. Souvent il ajoute quand même :

— Que tu sois rapide, c'est parfait, mais fais attention à ne pas te laisser emporter ! Je te trouve un peu teigneux !

Je baisse les yeux, je serre les dents pour ne pas dire que j'en ai marre de me retenir pour tout.

***

Un jour, maman a proposé d'emmener Mathilde au club pour me voir, pour lui montrer quel superchampion elle avait comme frère. Ça ne m'a pas fait plaisir du tout son idée. Le judo c'est pour moi, seulement pour moi et mes copains. Alors je n'ai pas pu retenir ma colère. J'ai tellement crié que maman a quitté ma chambre immédiatement :

— Quel sale caillou tu es mon Louis ! elle a dit en claquant la porte.

N'empêche qu'elle n'a jamais amené Désirée au club.

***

La seule chose vraiment agréable depuis l'arrivée de ma sœur, c'est que l'on peut faire à peu près toutes les bêtises sans trop se faire remarquer. Les parents n'ont pas le temps de s'occuper vraiment de nous, surtout maman qui autrefois était toujours sur notre dos.

Une adoption ça ne se fait pas aussi simplement que l'on pourrait le croire. Il y a des tas de paperasses à remplir, à envoyer, à lire. Pire qu'une entrée en sixième. Et puis des contrôles. On voit des assistantes sociales, des puéricultrices, des éducatrices, qui viennent comme pour surveiller. Parfois je me demande s'ils l'ont volée ou quoi ? Alors là j'ai vraiment la frousse que toute la famille se retrouve en prison à cause d'elle.

Je ne sais pas pourquoi je suis tout drôle, toujours inquiet.

Je me méfie.

Il me semble à tout moment que quelque chose va me tomber sur la tête ou m'emprisonner dans un filet comme un poisson.

Je me tiens sur mes gardes pareil à ces bandits qui jettent leurs yeux de tous les côtés de peur d'être rattrapés par les policiers.

C'est parfois comme si un monstre allait bondir sur moi. Comme s'il allait sortir de terre pour me tirer par les pieds.

Il me semble même entendre des voix! Des voix bizarres qui ricanent comme pourraient le faire des diables.

Si maman me regarde juste à ce moment-là, au moment où les diables me parlent, elle dit:

— Tu n'es pas malade, Louis ? Je te trouve bien pâle.

Ou bien :

— Tu as de la fièvre, Petit Louis, tes yeux sont tout rouges, tout brillants.

Je réponds toujours « non », je fais celui qui n'aime pas du tout qu'on l'agace avec toutes ces histoires de maladie, mais ça me plaît bien qu'elle s'inquiète.

***

Un jour, j'ai enfin compris que cette vie impossible ne pouvait plus durer. Il fallait faire quelque chose.

Quelque chose d'interdit.

Quelque chose d'abominable.

J'ai mis beaucoup de temps à trouver cette abominable chose interdite. Alors qu'il suffisait d'ouvrir un livre de bébé, une de ces histoires que tout le monde connaît : *Le Petit Poucet* !

J'ai pourtant tout un tas de livres de sorcières qui savent, elles, faire disparaître les gens avec des mixtures très faciles à préparer. J'ai plein de livres avec des inventions à toutes les pages. Eh bien ! c'est le Petit Poucet qui est le meilleur pour les idées !

***

J'ai décidé d'aller dans la forêt pour y perdre Mathilde.

Une fois la décision prise je me suis senti soulagé. J'aurais certainement dû mourir de honte, penser au désespoir de mes parents. Non, rien de tout cela. J'étais devenu ce diable qui m'avait si longtemps seriné des choses folles au creux de l'oreille. Celui-là, je ne l'entendais plus brailler. Ma terrible décision lui avait cloué le bec.

La seule chose préoccupante était de savoir comment organiser cette grande aventure.

Je manquais le judo une fois sur deux. Enfin, plus exactement, j'allais jusqu'à la salle de judo, et j'expliquais au prof que j'avais mal au dos, au petit doigt de la main droite, ou aux dents, je trouvais toujours une astuce pour me débiner. Et comme le prof continuait à penser que j'étais fou de judo, il ne pouvait pas imaginer que j'inventais toutes ces petites souffrances.

Pendant que je regardais les autres lutter, mon cerveau n'arrêtait pas de fonctionner.

Par contre j'allais à l'école normalement, sans me plaindre. Ce n'était pas le moment d'attirer l'attention sur moi. Mais, en classe, je n'étais attentif que pendant les cours de géographie ou de sciences qui pouvaient toujours me servir.

Le reste du temps, j'étais distrait et anormalement silencieux. Et solitaire. Ce mot-là, solitaire, était le mot préféré de la maîtresse quand elle parlait de moi. Elle prétendait que brusquement j'étais devenu un enfant solitaire. Elle avait du mal à reconnaître le Louis dissipé et querelleur qui ne restait jamais tranquille. Si mes notes avaient été meilleures, elle n'aurait eu que des éloges à faire à mes parents...

***

Notre maison était située en centre ville. Ce n'était pas facile de trouver une forêt proche. Pourtant, si je voulais suivre les indications du Petit Poucet, je ne pouvais pas aller perdre Mathilde en pleine rue.

Je savais bien que la première personne qui la rencontrerait la ramènerait à la maison, ou, au pire, dans un commissariat.

***

Et, alors que je commençais à désespérer, c'est ma maîtresse qui m'a apporté la solution !

Elle nous a fait toute une leçon sur les arbres, les champignons, la nature quoi !

À la fin, elle a annoncé comme une merveilleuse surprise que, la semaine suivante, nous irions dans un bois.

— C'est une grande forêt ? j'ai demandé. Et mon cœur et mes jambes tremblaient.

— Pas très grande mais assez pour y découvrir de nombreuses espèces, m'a répondu la maîtresse qui paraissait bien contente que j'aie si bien suivi.

Je n'avais plus qu'à attendre une semaine encore.

J'ai emporté un cahier neuf et plusieurs stylos. Il ne s'agissait pas de tomber en panne. Je devais tout noter. Je sais très bien que les grands aventuriers préparent minutieusement et longtemps à l'avance leurs expéditions. J'avais eu bien raison de ne m'intéresser qu'aux cours de géographie et de sciences. Tout cela allait me servir.

***

Le jour venu, on est partis, serrés les uns derrière les autres. J'ai joué des coudes pour ne retrouver au premier rang. Je ne voulais pas être gêné pour repérer le nom des rues. Mais j'ai vite abandonné, car passer son temps à lever la tête devenait vraiment trop agaçant. L'important était de connaître la direction, une forêt devait se voir de loin.

La route nous paraissait bien longue. Certains commençaient à rouspéter.

Enfin, on est arrivés dans une rue bordée de petites maisons avec chacune son jardin minuscule.

Au bout de la rue, on s'est regroupés autour de la maîtresse sans faire de chahut. Avant même de la voir, la forêt nous impressionnait.

D'abord, on l'a sentie. La forêt n'a pas du tout une odeur de ville. Elle ne sent pas meilleur, mais autrement. Une odeur difficile à expliquer, plutôt un mélange de plusieurs odeurs.

Chacun de nous a essayé de trouver à quoi ces odeurs lui faisaient penser.

— À des châtaignes grillées ! a dit Marie.

— À la rivière quand il a beaucoup plu ! a murmuré Sami qui est le plus timide de nous tous.

— À des rats crevés ! a claironné Kévin pour faire peur aux filles.

Moi, je pensais au brouillard quand il envahit la montagne, mais je n'ai pas eu envie d'ouvrir la bouche.

Tous les autres ont dit que ça sentait surtout les champignons.

Fabien, qui pose toujours des questions, a demandé pourquoi ces odeurs étaient toutes un peu les mêmes.

— C'est l'odeur de l'humus, a expliqué la maîtresse.

— C'est quoi l'humus? a dit Fabien.

Heureusement la maîtresse a préféré attendre d'avoir atteint la forêt pour tout expliquer à la fois.

Tout de suite, nous avons trouvé le chemin qui passait entre les deux dernières maisons de la rue, et, au bout de ce chemin, il y avait le bois.

En un rien de temps, nous étions en pleine forêt.

***

Quand les explications ont commencé, j'ai sorti mon cahier neuf.

Le bouleau a un tronc blanc. Et le chêne une écorce rugueuse. Le peuplier peut être long comme une bougie gigantesque, ou rond comme beaucoup d'autres arbres. Lorsque ses feuilles légères bougent même sans vent, on appelle ce peuplier: un tremble.

— Les arbres sont comme les hommes, ils peuvent être de la même famille et ne pas se ressembler du tout, a fait remarquer la maîtresse.

J'avais eu la même idée qu'elle, mais je ne l'ai pas dit assez vite. D'ailleurs il valait mieux ne pas faire trop le savant, et encore moins l'intéressant. Et puis, un véritable aventurier, ou un espion, ou même un bandit doit savoir rester invisible.

J'entendais tout ce que l'on disait autour de moi. Dans mon cahier j'écrivais les mots à toute allure, n'importe comment, comme la maîtresse les prononçait : épicéa par exemple qui avec son nom compliqué devait être difficile à écrire sans faute.

Si j'écrivais vite, je dessinais lentement, en faisant bien attention, chaque croisement de chemins, chaque rocher, chaque arbre différent, chaque monticule.

Quand enfin on est passés aux champignons, j'ai fait plus attention encore. Tous les taillis se ressemblaient, les fougères aussi, et aussi les clairières. La journée m'a paru bien longue.

— Ti Li, tu viens jouer avec moi ?

— Je viendrais quand tu m'appelleras par mon vrai nom !

— Ti Liui !

— Non !

Ses grands yeux noirs étaient devenus tout luisants de larmes. Je ne pouvais pas la regarder. Je ne pouvais pas céder non plus.

Je faisais semblant de lire mais je ne lisais pas.

Elle s'est approchée tout près de mon oreille et elle a dit :

— Lou-i

Elle s'appliquait tellement que je la sentais trembler dans mon dos.

J'avais envie de me retourner, de la prendre par la main, de l'entraîner en courant, de jouer, de rire avec elle. Pour la première fois j'avais envie de la faire rire, de lui faire plaisir. C'était extraordinaire cette envie que j'avais de faire comme si je ne la détestais pas. Comme si je voulais oublier tout le malheur qu'elle m'avait apporté.

Mais je ne me suis pas retourné. J'étais comme ficelé sur ma chaise. Comme pris dans des griffes.

La porte de la chambre s'est refermée doucement. J'ai juste eu le temps d'entendre un gros soupir.

***

Pour Simon, la période de délire était terminée. On voyait bien qu'il aimait toujours sa sœur, ah ! ça oui ! Mais sans passer tout son temps à s'émerveiller devant elle. Il me semblait même qu'il s'intéressait beaucoup plus à ses nouvelles copines et à ses nouveaux copains de sixième. Son entrée au collège lui avait un peu donné la grosse tête !

Mais papa et maman étaient toujours aussi fous de leur fille. Maman surtout.

Quand Désirée n'était pas près d'elle,

maman n'arrêtait pas d'y penser. Et parfois, lorsque cela l'étouffait trop, elle disait tout haut ce qui la tourmentait tant :

— Ce qu'un si petit enfant a vécu est inimaginable !

Ou bien elle répétait une phrase qui me faisait battre le cœur :

— Tu sais, Louis, il faut lui donner beaucoup, beaucoup d'amour pour essayer de lui faire oublier tout ce qu'elle a perdu.

Et la voix de maman était si triste que c'est elle que j'aurais voulu serrer contre moi pour la consoler. Mais je n'osais pas, je ne pouvais pas. Je ne savais pas ce qu'il fallait dire.

Une fois, j'avais essayé de lui raconter une histoire amusante apprise à l'école, mais maman avait à peine souri, et son sourire était bien mille fois plus triste que des larmes.

J'en voulais encore plus à ma sœur pour le chagrin que j'entendais dans la voix de ma maman. A ces moments-là, je lui en voulais tant que j'aurais été capable de tout, et je pensais alors qu'elle ne perdait rien pour attendre.

Les jours passaient et je n'arrivais pas à me décider à aller dans la forêt avec Mathilde.

Pourtant, puisque j'avais eu l'idée de le faire, j'étais persuadé que c'était aussi terrible que de l'avoir fait.

J'avais inscrit dans ma tête une date limite : le 2 décembre, jour de mes neuf ans ! Et on était le 26 novembre !

Depuis ma sortie avec l'école, la forêt avait dû beaucoup changer. Heureusement j'avais gardé précieusement les notes prises pendant la promenade.

***

Et puis, le 1er décembre au matin, maman a été malade. Et le monstre qui s'était endormi au fond de moi s'est soudain réveillé quand elle m'a demandé de conduire ma sœur jusqu'à la porte de son école.

Maman m'a fait un petit bisou rapide, perdu au milieu de mille recommandations :

— Tiens-la bien ! Ne la lâche pas des yeux ! Ne la fais pas courir ! Ferme son anorak jusqu'en haut ! Mais ne lui serre pas trop les doigts, elle n'aime pas ça !

Et trente-six autres choses, au moins !

Elle s'est enfin arrêtée de parler pour serrer son trésor sur son cœur, pour la couvrir de baisers comme si elle ne devait plus la revoir.

C'est là que je me suis décidé.

J'ai mis mon cartable sur mon dos. Je lui ai enfilé le sien. J'ai même ajusté son bonnet, et on est sortis main dans la main.

***

Dans la rue, elle a laissé sa main dans la mienne, et je ne l'ai pas lâchée.

Au premier croisement, au lieu de tourner à droite vers l'école, j'ai pris la rue à gauche.

— Où on va Lou-i?

— Tu verras bien !

Elle s'est tue.

Sur le mur qui bordait un jardin, un chat était allongé, elle a voulu le caresser, mais je l'ai tirée brutalement en ronchonnant :

— Arrive, Mathilde !

Alors, elle s'est arrêtée carrément, comme clouée au sol.

— Pourquoi tu m'appelles comme ça ? elle a dit. Et ses yeux envoyaient des éclairs.

— Parce que c'est ton nom !

— C'est pas comme ça que tu dis, toi.

J'ai haussé les épaules.

Quand elle a répondu, sa voix était tellement basse, tellement grave, qu'elle m'a forcé à m'arrêter aussi et à la regarder.

— Toi, elle a dit, toi tu m'appelles : « pas désirée du tout ».

Elle n'avait même pas accroché sur le R. On aurait dit que cette phrase elle la connaissait par cœur.

Je ne savais plus que répondre. Je sentais mes joues devenir rouges et piquantes comme lorsqu'il fait très froid, et pourtant je transpirais de partout.

C'est alors elle qui a tiré sur ma main.

Et, avec le ton autoritaire qu'elle prend parfois, elle a ajouté :

— Je m'appelle Désirée, t'as compris !

J'ai lâché sa main et je me suis baissé pour lacer mes souliers qui n'étaient pourtant pas défaits. Je voulais gagner quelques minutes pour réfléchir, mais elle ne m'en a pas laissé le temps. Elle a fait quelques pas sans se retourner et j'ai bien été obligé de la rattraper.

Sans plus dire un mot on a marché longtemps.

À un moment j'ai bien reconnu la petite place qui s'ouvrait sur la rue aux petites maisons. Et au fond de la rue le chemin, avec au bout la forêt.

Il faisait gris et froid.

Un corbeau est passé au-dessus de nous avec un cri lugubre. J'ai frémi, et j'ai senti sur ma main les doigts de Désirée se resserrer.

Les arbres n'avaient plus aucune feuille. J'ai à peine reconnu un bouleau, à cause de l'écorce.

Et je commençais même à croire que je m'étais perdu, quand j'ai aperçu l'étrange rocher. Il ne pouvait pas y en avoir deux identiques dans toute la forêt. Celui-là avait comme un nez retroussé. Nous l'avions tous remarqué pendant la promenade. Et je me souvenais même que François avait dit qu'il ressemblait à Kévin vu de profil. Tout le monde avait ri, sauf Kévin qui n'aime pas beaucoup que l'on se moque de son nez.

Je savais qu'à partir du rocher il fallait

aller toujours vers la droite jusqu'à la clairière cachée.

Là, j'abandonnerais Désirée.

***

Après, je m'échapperais, je partirais le plus loin possible. On ne me retrouverait pas. Je ne pourrais jamais savoir lequel, de Mathilde ou de Louis, maman regretterait le plus.

Ma tête était prête à éclater. Ma main tremblait dans celle de ma sœur. Et, au fond de moi, quelque chose criait que je n'aurais jamais le courage d'aller jusqu'au bout de ce que j'avais préparé avec tant de colère.

Et d'abord, comment fallait-il s'y prendre pour partir au bout du monde?

Et surtout comment s'y prendre pour abandonner sa sœur en pleine forêt?

Telle qu'était Désirée, il faudrait au moins trouver une ruse d'indien.

Tout s'embrouillait dans ma tête. Malgré tous les livres d'aventures que j'avais lus je ne me souvenais de rien. Je ne saurais même pas allumer un feu de camp en frottant deux pierres ensemble !

Et Désirée était trop futée pour se laisser avoir.

Pourtant, je continuais à avancer comme s'il était déjà trop tard pour arrêter ma vengeance. Il fallait que je la laisse là où personne ne la retrouverait pour la ramener chez nous.

Et si, par hasard, quelqu'un la retrouvait, elle dirait son vrai nom, de cela j'étais sûr : « Je m'appelle Désirée, t'as compris ! » Elle me l'avait bien dit à moi qui pourtant savait tout d'elle. Il y aurait sans doute des gens sans enfants qui seraient heureux de prendre chez eux cette petite Désirée inconnue.

Quand on est arrivés à la clairière, je me suis assis dans l'herbe mouillée, mes genoux repliés et ma tête dedans. Désirée s'est assise à côté de moi, mais sans me toucher.

Jamais, ni à la télé, ni ailleurs, je n'avais vu un monstre aussi monstrueux que moi.

Même si je partais à l'autre bout du monde, je ne pourrais jamais oublier que j'avais perdu dans la forêt une petite fille qui n'avait pas encore sept ans. Et que cette petite fille en plus était ma sœur. Une petite fille qui allait avoir si froid dans la nuit et si peur aussi. Une petite fille qui risquait de se faire attaquer par des bêtes sauvages. Pas par des loups bien sûr puisqu'il n'y en avait plus, mais par des sangliers ou des chiens méchants.

C'est à ce moment-là de mes pensées les

plus noires, que nous avons entendu un bruit dans les fourrés. J'ai fait un bond, mais Désirée n'a pas bougé. Elle a seulement mis un doigt sur sa bouche pour me dire qu'il ne fallait pas faire de bruit.

Au bout d'un tout petit instant, elle s'est levée, mais si doucement que pas une herbe n'a tremblé. Elle a agrippé le col de mon blouson pour que je me lève aussi. Elle avait toujours son doigt sur sa bouche.

Elle m'a forcé à reculer sans tourner la tête jusqu'à ce que nous touchions le tronc d'un arbre avec notre dos. Elle a attendu un moment encore, elle a écouté. Ses yeux seuls allaient de droite à gauche. Et, brusquement, elle s'est retournée et a commencé à escalader l'arbre.

Elle passait d'une branche à l'autre. On aurait dit un chat, un écureuil plutôt. Ma sœur était bien plus agile qu'un chat.

Elle s'est enfin calée contre le tronc à une hauteur pas possible à dire et m'a fait signe de monter.

J'étais pourtant drôlement bon en gym mais j'ai mis trois fois plus de temps qu'elle. Et en plus j'étais à moitié mort de peur.

Pour me laisser sa place contre le tronc, elle a glissé sur la branche, jambes pendantes dans le vide. Moi, pendant ce temps, j'avais réussi à entourer le tronc de mes bras. Et personne n'aurait pu me le faire lâcher. Mes deux mains se touchaient presque, l'arbre s'était drôlement rétréci. C'est dire si on était haut !

Je fermais les yeux pour ne plus rien voir. J'étais sûr qu'elle allait s'écrabouiller en bas.

Alors, j'ai ressenti dans tout mon corps une douleur plus grande que toutes les douleurs que je connaissais. Plus forte que le mal au ventre, plus forte qu'une rage de dents. Si forte qu'elle me coupait le souffle, m'empêchait de crier et même de pleurer : Désirée allait tomber, là, sous mes yeux. Elle allait mourir. Je ne la verrais plus.

Et, brusquement, cela, sa disparition que j'avais tant voulue, je ne la voulais pas. Je ne la voulais plus. J'aurais tout donné pour que cela n'arrive pas.

***

Doucement, j'ai ouvert mes mains, doucement j'ai écarté mes bras. J'avais choisi. Je n'avais plus peur. Ce serait moi qui tomberais le premier. Comme ça, je ne verrais pas ma petite sœur écrasée au bas de l'arbre.

La voix si calme de Désirée m'a tellement surpris que mes bras se sont d'eux-mêmes agrippés au tronc.

— Tiens-toi bien, Louis ! elle a dit.

Et mon nom, que je n'aimais pas beaucoup, devenait très beau quand elle s'appliquait si bien à le prononcer.

— Je me tiens ! j'ai bafouillé avec ma voix de froussard.

— Tu ne sais pas encore monter aux arbres !

— Mais si ! j'ai répondu plus fort cette fois.

— Non ! Tu ne sais pas !

— Mais si !

J'étais un peu vexé, même si c'était vrai que je montais aux arbres moins bien qu'elle.

***

Elle balançait toujours ses jambes dans le vide, les doigts à peine posés sur la branche. Même un oiseau n'aurait pas su se tenir comme elle.

Moi, toujours cramponné à l'arbre, je commençais pourtant à me rassurer de la voir si tranquille.

— On est bien ici ! elle a dit. Regarde on voit même les toits des maisons !

Mais je ne voyais rien, je ne regardais rien. Alors elle a éclaté de rire :

— Regarde en bas, y a rien, y a pas de lions ici !

— Tu me prends pour un idiot ou quoi ? je sais bien qu'y a pas de lions ici !

Elle a ri plus fort encore :

— S'il y avait eu un lion, il aurait attrapé le fond de ton pantalon !

— Pourquoi tu dis ça ?

— Parce que tu sais pas monter aux arbres assez vite !

— Mais si !

— Pas comme Théodule !

Je n'avais jamais entendu un nom pareil.

— Qui c'est celui-là, Théodule ?

— C'est mon frère d'avant.

Je savais que, pour Désirée, « avant », c'était l'Afrique, c'était l'orphelinat, c'était tout ce qu'elle ne voulait jamais dire. Tout ce qu'elle n'avait jamais voulu expliquer. Même pas dans son charabia du début.

Quelquefois seulement elle disait: «Avant, il faisait chaud.» Ou: «Je veux pas manger ça, c'est comme avant!»

Et maintenant elle me parlait de son frère d'avant!

— Ton frère c'est moi! j'ai crié pour que ça lui rentre bien dans la tête.

Mais mon cri ne l'a pas impressionnée du tout, elle a continué sur le même ton:

— Théodule, c'était mon frère de la forêt.

— Quand tu étais à l'orphelinat d'Afrique?

— Oui! À l'orphelinat! Il y avait plein de garçons et de filles. On était tous ensemble. Mais Théodule seulement était mon frère.

— Et où il était ton frère quand papa et maman sont allés te chercher?

— Il était mort.

— Mort?

Elle disait ce mot sans trembler, sans changer de voix, comme si c'était un mot tout à fait pareil aux autres mots.

J'ai eu froid jusqu'au bout de mes mains crispées sur le tronc. Pourtant j'ai tendu un bras vers elle pour toucher le bout de ses doigts, et je l'ai suppliée de se rapprocher de moi.

J'ai reçu son sourire en plein dans les yeux. Semblable à un soleil qui perce le brouillard, c'était un sourire capable de faire oublier le mot terrible que nous venions de prononcer.

***

Pour me faire plaisir, elle a glissé sur la branche si rapidement que je n'ai même pas eu le temps de craindre qu'elle ne bascule dans le vide.

De mon bras droit, je tenais le tronc de l'arbre et, du gauche, j'entourais les épaules de ma sœur. Je la serrais de toutes mes forces.

D'un haussement léger elle s'est dégagée comme si je l'empêchais de parler. Dès qu'elle a été libre elle s'est remise à raconter.

— N'aie pas peur, je tombe jamais des arbres. Théodule m'a appris.

— Il était comment ton frère d'avant ?

— Grand comme Simon.

Elle a ri :

— Mais il était noir !

Je ne savais pas comment lui demander de m'expliquer la mort de Théodule. Mais Désirée est une fille étrange. Maman dit qu'elle est si sensible que l'on n'a pas besoin de se casser la tête pour lui poser une question, elle comprend tout avant que l'on ouvre la bouche. Encore une fois, maman a eu raison. Désirée a repris son récit d'elle-même :

— Un soir, plusieurs hommes du village ne sont pas rentrés de la forêt. Mon frère non plus. Là-bas, c'était la guerre.

— Mais ils ont été...

Elle m'a coupé la parole comme si tout ce que nous venions de dire n'existait pas.

— Maintenant, il faut redescendre sans te casser la figure !

Je savais bien que la descente serait encore plus compliquée que la montée, et j'avais une sacrée pétoche.

Désirée est passée devant. Et, comme les moniteurs de la montagne quand il nous apprenaient à faire de l'escalade, elle guidait mes pieds sur les branches.

Arrivés en bas, elle a remis tout naturellement sa main dans la mienne. Elle ressemblait à toute ces petites filles que les grands traînent derrière eux jusqu'à la porte de l'école.

Quand je me suis remis à penser normalement, j'ai pouffé de rire. J'entendais les multiples recommandations de maman, ses craintes dès que Désirée se penchait à une fenêtre, dès qu'elle descendait d'un trottoir... Alors qu'elle était bien plus dégourdie que nous tous.

— Pourquoi tu ris, Ti Li ?

Ses yeux brillaient de malice. Elle recommençait pour le plaisir à utiliser le nom qu'elle m'avait choisi. J'ai marché à fond dans son jeu et j'ai lancé d'un ton grondeur :

— Hé ! Badésirédudou ! Maman veut pas que tu me lâches la main ! C'est interdit !

On a couru de toutes nos forces. Droit sur notre maison. C'était si loin la forêt et on avait passé beaucoup de temps dans l'arbre. Sans cesser de courir, j'ai regardé ma montre. On aurait dû être rentrés depuis plus d'une heure !

Ensemble on a poussé la porte du couloir. Maman nous attendait justement derrière. Elle devait être plus malade que le matin parce qu'elle était très pâle, et qu'elle avait l'air de trembler de fièvre.

***

C'est moi qui ai reçu la première gifle, mais Désirée n'a pas attendu longtemps pour prendre la seconde.

On s'est frotté la joue avec le même geste. La main de maman n'avait pas fait sur nos joues des dessins de la même couleur, c'était la seule différence.

On n'a pas dit : « Aïe ! » Pas pleurniché. Rien. On est restés plantés devant elle dans le couloir.

Alors, elle a fait une chose extraordinaire, une chose qui ne lui ressemble pas trop à notre maman. Elle a dit avec une toute petite voix, mais un peu fort quand même pour que l'on entende bien :

— Pardon ! Je vous demande pardon à tous les deux, mais j'ai eu tellement peur !

Elle s'est baissée, et elle nous a enfermés chacun dans un de ses bras. On ne pouvait pas savoir qui elle serrait le plus fort.

Marie-Claude Bérot

Je suis née à Toulouse. De mes vacances passées dans l'Aude, je garde de bien beaux souvenirs. Ecrire *Alazais en pays cathare* m'a permis de retrouver les collines de ce mystérieux pays. Je vis depuis longtemps dans les Pyrénées. En regardant tous les jours ces grandes montagnes, j'ai eu envie d'écrire *Pierrou de Gavarnie*, puis *Un bisou sur les yeux*, Ed Milan. Et plus récemment *Ninon-Silence* aux éditions Flammarion Castor Poche. J'ai trois enfants et deux adorables petits-fils.

Daphné Collignon

Je suis née à Lyon en 1977, avant de passer les cinq premières années de ma vie sous le soleil d'Afrique. Petite fille, je passais mon temps à bouquiner et à suivre mes séries préférées à la télé... Plus tard, j'ai dû copier quelques centaines de fois « Je ne dessinerai plus en cours » pour des professeurs consternés par mon insubordination. C'est donc assez naturellement que j'ai fini par vouloir dessiner moi aussi « pour de vrai », pour des enfants, dans des livres, comme tant d'autres l'avaient fait pour moi — et montrer à mes anciens profs de quel bois je me chauffais, non mais !

« J'aime voyager, les romans fantastiques, la BD, le cinéma... et Bubulle, mon citronnier. J'habite aujourd'hui à Angoulême où je travaille aussi dans un studio de dessin animé. »

Castor Poche, des livres pour toutes les envies de lire: pour ceux qui aiment les histoires d'hier et d'aujourd'hui, ici, mais aussi dans d'autres pays, voici une sélection de romans.

832 **Les insurgés de Sparte** **Senior**

par Christian de Montella

À Sparte, la loi impose de n'avoir que des enfants vigoureux. L'un des jumeaux de Parthénia est si frêle qu'elle le confie en secret à une esclave émancipée. Mais les deux frères vont se retrouver et s'affronter...

831 **Les disparus de Rocheblanche** **Junior**

par Florence Reynaud

Au IXème siècle, les habitants de l'Aquitaine vivent dans la terreur des vikings, qui saccagent les villages et enlèvent les enfants... Eglantine et son petit frère sont ainsi vendus comme esclaves.

830 **Chandra** **Senior**

par Mary Frances Hendry

À onze ans, Chandra est mariée, suivant la tradition indienne, à un jeune garçon qu'elle n'a jamais vu. Après leur rencontre, ce dernier meurt brutalement: Chandra est accusée de lui avoir porté malchance.

829 **Un chant sous la terre** **Junior**

par Florence Reynaud

Isabelle a douze ans et doit travailler à la mine pour aider sa famille. Mais elle a un don, sa voix fait frémir d'émotion quiconque l'entend chanter. Une terrible explosion bloque Isabelle dans la mine, son don pourra-t-il alors la sauver ?

828 **Léo Papillon** **Junior**

par Lukas Hartmann

Léo, huit ans, souffre de sa maladresse. Il aimerait être léger et beau comme un papillon. Son rêve consiste alors à s'enfermer dans un cocon de fils multicolores, en attendant la métamorphose...

827 La chance de ma vie **Senior**

par Richard Jennings

Quand on a douze ans, recueillir un lapin blessé semble bien naturel, voir banal. Pourtant, Orwell est plus qu'un animal... c'est une chance!

825 Temmi au Royaume de Glace **Junior**

par Stephen Elboz

Les soldats de la Reine du Froid ont enlevé Cush, un ourson volant qui vit dans la forêt près de chez Temmi. Temmi les suit au Château des Glaces, où toute chaleur est proscrite. Mais des insoumis organisent une rébellion.

824 Les maîtres du jeu **Senior**

par Roger Norman

Edward a douze ans. Il découvre chez son oncle un jeu de société qui renferme un mystérieux secret. Il se retrouve plongé dans un terrible engrenage, où le jeu et la réalité se rejoignent.

823 Akavak et deux récits esquimaux **Senior**

par James Houston

Akavak, Tikta'Liktak et Kungo l'archer blanc sont esquimaux. Dans l'univers rigoureux du grand Nord, ces héros doivent lutter pour survivre: découvrez leurs trois aventures au pays des icebergs...

821 Ali Baba, cheval détective **Junior**

par Gisela Kaütz

Pendant une représentation du cirque Tenner, quelqu'un a dépouillé les spectateurs de leurs portefeuilles. Sarah, la fille du directeur, découvre le butin caché dans le box de son cheval Ali Baba. L'enquête est ouverte...

820 **L'étalon des mers** **Senior**

par Alain Surget

Leif et son père Erick, bannis de leur village de vikings, embarquent sur un drakkar avec Sleipnir, leur magnifique étalon. Leur voyage les conduit d'abord au Groenland, où ils font la connaissance des Inuits.

819 **Mon cheval, ma liberté** **Junior**

par Métantropo

Aux Etats-Unis en 1861, la guerre de Sécession fait rage. Amidou, jeune esclave noir, s'occupe des chevaux d'une plantation. Lui seul peut approcher Stormy, le fougueux étalon, ce qui déclenche la jalousie du fils aîné.

818 **Une jument dans la guerre** **Senior**

par Daniel Vaxelaire

Pierre, fils de paysan dans la France napoléonienne, rêve de devenir un héros. Il part rejoindre les troupes de l'Empereur qui se battent en Italie. Le chemin n'est pas sans danger mais le destin met sur sa route une jument qu'il adopte et baptise... Fraternité.

817 **Pianissimo, Violette !** **Senior**

par Ella Balaert

Violette a dix ans et vient de déménager. Elle se fait bien à sa nouvelle vie. Le seul problème, c'est son professeur de piano : "Le Hibou" lui mène la vie dure et pourtant Violette s'applique !

816 **Pas de panique !** **Senior**

par David Hill

Rob adore les randonnées en haute montagne. Il est loin d'imaginer qu'il va falloir assurer pour six ! Car le guide de son groupe meurt brutalement... facile de dire "pas de panique" dans ces conditions.

815 Plongeon de haut vol **Senior**

par Michael Cadnum

Bonnie pratique le plongeon de compétition. Un jour, elle se cogne la tête contre le plongeoir et depuis n'arrive plus à plonger. En plus, son père est accusé d'escroquerie...

814 Et tag! **Senior**

par Freddy Woets

Vincent a une passion : peindre, dessiner et surtout taguer. Mais le jour où Alma se moque de son dernier tag en le traitant de ringard, Vincent est profondément vexé...

810 Une rivale pour Louisa **Junior**

par Adèle Geras

Louisa déteste la nouvelle du cours de danse: elle est trop douée! Un chorégraphe vient recruter de jeunes danseurs: et s'il ne choisissait que Bernice? Heureusement, la chance et l'amitié triompheront de leur rivalité.

809 Louisa près des étoiles **Junior**

par Adèle Geras

Louisa rêve d'assister à une représentation de Coppélia, mais les billets sont chers, et de toute façon, il ne reste aucune place ! Heureusement, la chance lui sourit : Louisa va même pouvoir rencontrer les danseurs étoiles!

808 Le secret de Louisa **Junior**

par Adèle Geras

Tony, le nouveau voisin de Louisa, est doué pour la danse, mais il est persuadé que seules les mauviettes font des entrechats. Pour cultiver ce talent caché, la petite « graine de ballerine » a une idée en tête...

807 Les premiers chaussons de Louisa **Junior**

par Adèle Geras

Louisa en rêvait depuis des mois : à huit ans, elle enfile enfin ses premiers chaussons de danse! En attendant de faire une grande carrière, il faut travailler sans relâche pour le gala de fin d'année. Louisa deviendra-t-elle une vraie « graine de ballerine » ?

805 Ménès premier pharaon d'Egypte **Senior**

par Alain Surget

Héritier du trône, Ménès doit braver mille dangers pour prouver qu'il est digne du titre de premier pharaon d'Egypte. Saura-t-il affronter ses ennemis, et devenir le Maître des Deux Terres ?

804 Jalouses! **Senior**

par Christian de Montella

Comment Simon aurait-il pu deviner que sa copine de bac à sable était devenue une véritable top-model ? Comment aurait-il pu éviter la crise de jalousie de Véronique, sa petite amie ?

803 Baisse pas les bras papa! **Junior**

par Christine Féret-Fleury

Depuis que Papa est au chômage, les fous rires, c'est terminé ! Au menu : soupe à la grimace. Il n'y a plus qu'une solution : l'aider à retrouver du travail.

802 De S@cha à M@cha **Senior**

par Rachel Hausfater-Douieb et Yaël Hassan

Sacha envoie des emails, comme des bouteilles à la mer, à des adresses imaginaires. Jusqu'au jour où Macha lui répond. Une véritable @mitié va naître de leurs échanges.

801 Rendez-vous dans l'impasse **Senior**
par Kochka
« Une histoire d'amour dont vous êtes le héros » : c'est le sujet de la prochaine rédaction de Marie. Partie à la recherche de l'inspiration, Marie débouche dans une impasse, où elle aperçoit un garçon qui s'enfuit en la voyant...

800 La main du diable **Senior**
par John Morressy
Béran veut être jongleur itinérant. Mais sur les routes du Moyen-Age, le diable rôde aussi : un jour, il lui propose de devenir le plus grand jongleur du monde... en échange de son âme!

799 La révolte des Camisards **Junior**
par Bertrand Solet
1685: révocation de l'Edit de Nantes. Près d'Alès, Vincent, jeune drapier et rebelle protestant, est aimé de la belle Isabeau. Trahi par un ami jaloux, il s'engage aux côtés des « Camisards » pour défendre sa religion.

798 Louison et monsieur Molière **Senior**
par Marie-Christine Helgerson
Louison a dix ans quand Molière la choisit pour jouer dans sa dernière pièce. Et pas n'importe où ! À la Comédie Française, devant la cour du Roi Soleil...

797 Les gants disparus **Senior**
par Marie-Claude Huc
Millau, capitale du gant, fin 1918. Irène, quatorze ans, jeune ouvrière douée de la ganterie Palliès, est fière de son travail... Mais un vol vient semer le trouble dans la petite ville...

795 **Je veux MON chien!** **Junior**

par Colby Rodowsky

Ellie n'est pas contente, ce n'est pas un chien comme ça qu'elle voulait ! Depuis le temps qu'elle demandait à ses parents un petit chiot... elle se retrouve avec une espèce de vieux chien sans charme qui appartenait à sa grand-tante !

794 **L'arche des Noé** **Junior**

par Wendy Orr

M. et Mme Noé possèdent le plus grand et le plus merveilleux des magasins d'animaux. Ils l'ont appelé « l'arche des Noé ». Leur bonheur serait complet... si seulement ils avaient des enfants ! Or, le jour de ses sept ans, Sophie vient visiter leur magasin... Entre la petite fille et les Noé c'est le début d'une grande amitié.

793 **Le dernier loup** **Senior**

par Roland Smith

Tawupu, le grand-père de Jack, est retourné sur la terre de ses ancêtres,dans le désert de l'Arizona. Jack part l'y retrouver. Là-bas, l'inquiétude monte : un loup rôde dans la région. Jack saura-t-il protéger défendre l'animal alors qu'on organise sa mise à mort ?

792 **Quatre poules maboules** **Junior**

par Robert Landa

Pour ne pas servir de dîner au fermier, Hugoline, Bruneheau, Rosette et la petite Prunelle, les quatre poules de la basse-cour, décident de s'enfuir. Elles se retrouvent au beau milieu d'une fête foraine : un tour de grande roue, un petit verre à la buvette, et nos quatre poules tournent maboules !

781 La princesse qui détestait les princes charmants **Junior**

par Paul Thiès

Il était une fois une princesse qui s'appelait Clémentine, et qui ne voulait pas épouser de prince charmant. Elle détestait carrément les princes charmants ! Elle n'avait qu'un rêve, transformer tous les garçons en grenouilles, sauf son ami Cabriole...

780 L'araignée magique **Junior**

par Nette Hilton

Jenny adore aller passer des vacances chez Violette-Anne, son arrière-grand-mère. Cette année, Jenny y découvre une invitée surprise : Pam, l'araignée à sept pattes. Cette araignée n'est pas ordinaire, et sa présence rappelle bien des souvenirs à Violette-Anne...

779 La fée Zoé **Junior**

par Linda Leopold Strauss

Qui a dit que les fées avaient des ailes et une baguette magique ? Lorsque Zoé entre dans la vie de Caroline, elle a l'air d'une petite fille tout à fait ordinaire... et pourtant ! Tout le monde ne peut pas voler et faire parler les chats !

778 L'île du vampire **Junior**

par Willis Hall

Rejeté à cause de ses ancêtres Dracula, les seuls amis du comte Alucard sont les loups de la forêt. Quand l'un d'eux est capturé, le comte improvise un sauvetage... qui se transforme en naufrage sur une île déserte !

767 Le quai des secrets **Senior**

par Brigitte Coppin

Bretagne, 1529. Un navire espagnol fait escale à Nantes et y laisse une femme, Leonora, et son fils, Jason. Leonora rencontre Jean, médecin, et ensemble ils ont une fille, Catherine. Un jour, Jason dérobe un miroir pour l'offrir à une jeune villageaoise. Ce vol va entraîner la révélation de bien des secrets...

766 Le diable dans l'île **Senior**

par Christian de Montella

1604. Un navire espagnol accoste une île des Terres australes. Fils du commandant, Diego comprend la barbarie de cette conquête, et se joint au combat, mais du côté des indigènes. Commence alors une vie nouvelle, heureuse. Mais bientôt des incidents troublent le quotidien de l'île : les habitant sont persuadés que l'esprit du mal est parmi eux. Qui est donc le diable qui hante l'île ?

765 Sans toit en Bosnie **Senior**

par Els de Groen

Dans les ruines d'un village bosniaque, la guerre rôde. Seule Antonia y habite. Son but : survivre, afin d'aider trois adolescents, réfugiés dans la montagne proche. Un jour elle recueille Aida, rescapée d'un convoi de prisonniers. La vie est-elle encore possible pour tous ces adolescents ?

764 Le conquérant **Senior**

par Marguerite de Angeli

XVIIIe siècle : entre guerres et maladies, le malheur frappe de nombreuses familles en Angleterre. Robin n'a que dix ans lorsqu'il perd l'usage de ses jambes. Il parviendra à vivre avec son handicap,mais un autre défi l'attend : sauver le château.

759 **Monsieur Labulle super magicien** **Junior**

par Massimo Indrio

En pleine nuit, M. Labulle est réveillé par un bruit. Il découvre dans la cuisine une petite fille : Stella arrive de l'espace, elle est magicienne. Elle lui demande de l'accompagner dans une mission... explosive !

758 **Monsieur Labulle super cosmonaute** **Junior**

par Massimo Indrio

Lulu Tirebouchon est le meilleur ami de M. Labulle. Cet inventeur de génie vient de créer une fusée. M. Labulle accepte de tester l'engin : dans quelle drôle d'aventure s'est-il encore embarqué ?

757 **Monsieur Labulle super détective** **Junior**

par Massimo Indrio

M. Labulle adore lire les aventures de Super Super. Quand il apprend l'enlèvement de l'oncle Rémi, il décide de prouver à son tour son courage. Attention ! Monsieur Labulle mène l'enquête...

756 **Monsieur Labulle super pilote** **Junior**

par Massimo Indrio

M. Labulle, dans la vie il faut travailler ! Oui, mais quel métier exercer ? Pâtissier ou peintre en bâtiment ? Pilote d'essai semble une meilleure idée... quelle course !

749 **Khan, cheval des steppes** **Senior**

par Federica de Cesco

Anga, jeune Mongole, sauve d'une meute de loups un magnifique poulain blanc. Anga et Khan deviennent inséparables. Mais le cheval est convoité par le chef de la tribu, puis réclamé par un prince : dans la Mongolie du XIIe siècle, Anga, fille de chasseur, pourra-t-elle garder son nouvel ami près d'elle ?

748 **Beau-Sire, cheval royal** **Senior**

par Jacqueline Mirande

1214. Jean, jeune noble de quinze ans, est privé de ses richesses par son cousin. Il veut demander justice au souverain, Jean sans Terre, et s'enfuit avec Beau-Sire, son cheval. Mais ce magnifique étalon est très convoité : la route est semée d'obstacles et Jean, tombé aux mains d'un brigand, n'aura la liberté… qu'en échange de sa monture.

747 **Un cheval pour totem** **Senior**

par Alain Surget

Nuun a dix ans, l'âge auquel on devient adulte dans sa tribu. Il doit pour cela subir un rite d'initiation et choisir un animal-totem : ce sera le cheval. Quelques jours plus tard, il trouve un poulain, et l'adopte. Nuun le baptise Charbon, et ils deviennent inséparables. Mais le sorcier de la tribu est jaloux, et se fait menaçant…

746 **Le cavalier du Nil** **Senior**

par Alain Surget

Bitiou, fils de paysans dans l'Égypte des pharaons, est fasciné par les chevaux. Un jour, il se joint aux troupes de Ramsès II, qui regagnent Memphis. Arrivé au palais, Bitiou se faufile jusqu'aux écuries royales. C'est alors qu'il fait la connaissance du plus beau cheval de Pharaon : ensemble, ils vont vivre des aventures extraordinaires.

745 **Punch et Judy** **Senior**

par Avi

Les États-Unis, à la fin du XIXe siècle. Punch a huit ans à peine lorsqu'il est recueilli par la troupe ambulante des Joe MacSneed. Il apprend dès lors à vivre comme un vrai saltimbanque, aux côtés de Judy, la fille de Joe, dont il est amoureux. Mais bientôt, les difficultés s'accumulent…

744 Les naufragés du ciel **Senior**

par Daniel Vaxelaire

Octobre 1929, aéroport du Bourget : l'avion Farman 192 AJJB s'envole. À son bord, trois héros avec ce rêve fou, ce pari insensé : rallier la Réunion par les airs. Arriveront-ils à bon port ? Farman résistera-t-il aux tempêtes du continent africain ? La mer épargnera-t-elle les aventuriers ?

743 Viola Violon **Senior**

par Rachel Hausfater-Douieb

Viola a onze ans et déteste son prénom. Jusqu'au jour où Benny la surnomme « Viola Violon » : alors, pour que son prénom soit aussi beau que la musique d'un violon, Viola décide d'apprendre à jouer de cet instrument. Au fil des années, Viola va trouver son identité et s'accepter telle qu'elle est, grâce à la musique.

742 Un héros pas comme les autres **Junior**

par Anne-Marie Desplat-Duc

Mathias, un jeune paysan, vit au XVe siècle. Amoureux de la châtelaine Aelis, il n'ose pas lui avouer ses sentiments. Il finit par demander de l'aide à un personnage tout à fait inattendu… l'auteur !

737 L'été catastrophe ! **Senior**

par Margot Bosonnet

Depuis que Marcus a rejoint la bande du Ventre Rouge, les grandes vacances ne sont plus qu'une gigantesque bataille ! Grimper aux arbres à mains nues, voler des groseilles, passer la nuit dans une ruine abandonnée (et hantée !)… ces cinq lascars ont plus d'une idée en tête pour faire enrager voisins, parents… et même policiers !

736 **Tante Morbélia et les crânes hurleurs** **Senior**

par Joan Carris

Horreur ! Tante Morbélia vient s'installer chez Todd, et avec elle toutes ses légendes de crânes hurleurs et d'affreux fantômes ! En plus, c'est une ancienne maîtresse, qui veut lui faire réciter ses leçons chaque jour. Dire que pour Todd, retenir les douze mois de l'année est déjà tellement compliqué… Et puis surtout, surtout, il déteste les histoires qui font peur !

735 **Ah ! Si j'étais grand…** **Junior**

par Siobhan Parkinson

Ça n'est vraiment pas drôle d'avoir mille cent ans, d'être lutin et petit pour la vie ! Lorenz en a assez, assez, assez ! Mais voilà qu'il fait la connaissance d'Iris, qui elle, voudrait bien être moins ronde et rétrécir un peu. Que vont inventer les nouveaux amis pour changer de vie ?

734 **Un prince en baskets** **Senior**

par Liliane Korb et Laurence Lefèvre

Quelle surprise ! Solveig et Nils, descendus fouiller la cave pour s'occuper, y découvrent une jolie jeune fille assoupie… depuis deux cents ans ! N'y aurait-il pas un petit peu de sorcellerie là-dedans ? Et que faire d'une aristocrate qui a échappé à la Révolution, quand on a quatorze ans et qu'on porte des baskets ?

732 **L.O.L.A** **Senior**

par Claire Mazard

Qui adresse du courrier à Lola sans le signer? Pour la jeune fille, ces lettres anonymes sont d'abord agaçantes, puis touchantes, et surtout intriguantes. Accompagnée de son petit frère Jérôme, Lola va mener une enquête… alors que la réponse est tout près d'eux, sous leurs yeux.

731 Ninon-Silence **Senior**

par Marie-Claude Bérot

Une nuit, Ninon est réveillée par des sanglots dans la chambre de ses parents. Elle entend cette phrase terrible : « Ninon n'est pas ta fille ! ». L'enfant a l'impression que le monde s'écroule autour d'elle. Le lendemain, Ninon a perdu la parole.

730 Le Maître des Deux Terres **Senior**

par Alain Surget

Antaref, roi de Haute-Égypte, a été assassiné. Son fils doit lui succéder. Mais le temps presse, car déjà la Basse-Égypte a déclaré la guerre. Ménès saura-t-il défendre son pays, venger son père et libérer son amie Thouyi, avant de devenir le premier pharaon ?

721 Prends garde aux dragons ! **Junior**

par Norbert Landa

Le roi et la reine partis en Italie, le petit prince Léo est seul au château. Il tombe sur un œuf de dragon. Que faire ? Le conserver ou le cuisiner ? Mais est-ce que c'est bon, une omelette de dragon ?

720 À vos marques ! **Senior**

par Michel Amelin

C'est reparti ! Dès le début de l'automne, la mère de Gontran est obsédée par le port de l'écharpe obligatoire ! Quelle horreur, surtout quand la dite écharpe a déjà été usée par des générations, depuis le frère aîné de l'arrière-grand-père de Gontran... Il aimerait tellement frimer avec des vêtements de marque, comme tant de ses copains !

Cet
ouvrage,
le huit cent
quarante-septième
de la collection
CASTOR POCHE,
a été achevé d'imprimer
sur les presses de l'imprimerie
Maury Eurolivres
Manchecourt - France
en septembre 2001

Dépôt légal: novembre 2001.
N° d'édition : 0300. Imprimé en France.
ISBN: 2-08-16-0300-4
ISSN: 0763-4544
Loi n° 49-956 du 16 juillet 1949
sur les publications destinées à la jeunesse